DERIB + JOB

YAKARI
AU PAYS DES LOUPS

Couleurs : DOMINIQUE

CASTERMAN

YAKARI paraît dans les langues suivantes :

allemand :	CARLSEN	Reinbek / Hamburg
anglais :	LONGMAN	Londres
arabe :	DAR AL-MAAREF	Le Caire
catalan :	JUVENTUD	Barcelone
danois :	CARLSEN	Copenhague
espagnol :	JUVENTUD	Barcelone
finlandais :	YHTYNEET	Helsinki
grec :	AMERICAN	
	BOOK AGENCY	Athènes
indonésien :	INDIRA	Djakarta
italien :	FABBRI	Milan
néerlandais :	CASTERMAN	Tournai / Dronten
norvégien :	SEMIC	Oslo
portugais :	VERBO	Lisbonne
suédois :	CARLSEN/IF	Stockholm

ISBN 2-203-30308-5
ISSN 0750-0653
©Casterman 1983.

LE CAMP À PEINE INSTALLÉ, LA NEIGE TOMBAIT...

...ÇA C'EST PASSÉ LÀ-BAS, OÙ LE SOLEIL SE COUCHE...

...TROIS HIVERS DÉJÀ... JE M'EN SOUVIENS COMME SI C'ÉTAIT LA VEILLE DE CE JOUR...

PLUS TARD...

YAKARI, YAKARI! IL Y A ASSEZ DE NEIGE, MAINTENANT!

5

6

7

* VOIR "YAKARI ET GRAND AIGLE"

9

15

CETTE NUIT-LÀ, UN LOUP SAVAIT OÙ IL ALLAIT...

...LOUP TOURMENTÉ NE POUVAIT PAS TROUVER LE SOMMEIL...

...UNE MEUTE HURLAIT...

OOOWOOOOOOWOOOOOOOWOOO
WOOO

...ET YAKARI S'ENFON-ÇAIT DANS UN RÊVE.

OOOOOOO

JE LE PISTAIS DEPUIS DES HEURES.

26

CETTE NUIT-LÀ, UN MYSTÉRIEUX CONCILIABULE RÉUNISSAIT LES LOUPS ...

LE LENDEMAIN MATIN ...

LE CORBEAU A SENTI UNE PRÉSENCE, LÀ-BAS ...

JE VEUX SAVOIR ! ...

Imprimé en Belgique par Casterman, décembre 1983. N° édit.-impr. 1210.
Dépôt légal : avril 1983 ; D. 1983/0053/72.
Déposé au Ministère de la Justice, Paris
(loi n° 49.956 du 16 juillet 1949 sur les publications destinées à la jeunesse).